Bildwörterbuch
Deutsch - Englisch

Illustrationen von Kim Woolley

Inhalt

Alle Tätigkeitswörter (Verben) sind im Unterschied zu den Hauptwörtern (Substantiven) grau gedruckt.

BUCH UND ZEIT
B|Z

Haustiere

Fisch
fish

Fischfutter
fish food

Goldfischglas
fish bowl

gehen
walk

Welpe
puppy

Hund
dog

Knochen
bone

Napf
bowl

Hundehütte
kennel

Wellensittich
budgerigar

Sitzstange
perch

Vogelfutter
birdseed

Hamster
hamster

Meerschweinchen
guinea pig

streicheln
stroke

halten
hold

Katze
cat

Korb
basket

Kätzchen
kitten

Rennmaus
gerbil

Käfig
cage

Stall
hutch

Kaninchen
rabbit

Maus
mouse

Wasserflasche
water bottle

Sägespäne
sawdust

Stroh
straw

Insekten

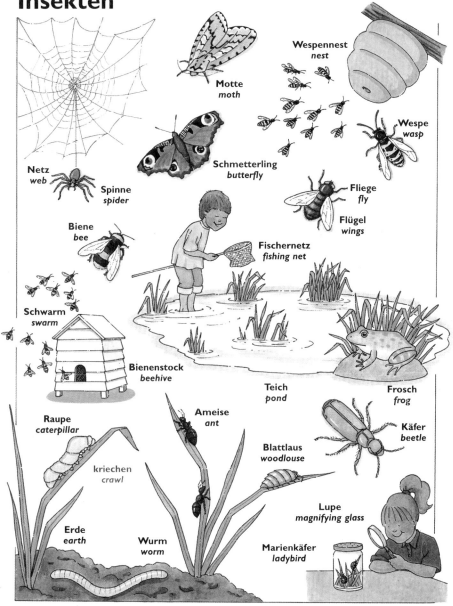

Netz
web

Spinne
spider

Motte
moth

Schmetterling
butterfly

Wespennest
nest

Wespe
wasp

Fliege
fly

Flügel
wings

Biene
bee

Schwarm
swarm

Fischernetz
fishing net

Bienenstock
beehive

Teich
pond

Frosch
frog

Raupe
caterpillar

Ameise
ant

kriechen
crawl

Blattlaus
woodlouse

Käfer
beetle

Erde
earth

Wurm
worm

Lupe
magnifying glass

Marienkäfer
ladybird

Im Tierpark

Affe
monkey

Nashorn
rhinoceros

Giraffe
giraffe

Elefant
elephant

Zebra
zebra

kratzen
scratch

Gorilla
gorilla

rennen
run

Gepard
cheetah

Löwe
lion

Tiger
tiger

Delphin
dolphin

Känguruh
kangaroo

Schlange
snake

Eisbär
polar bear

Hai
shark

Pinguin
penguin

Robbe
seal

Krake
octopus

Schildkröte
turtle

Krokodil
crocodile

Flußpferd
hippopotamus

Aal
eel

Tümpel
pool

Auf dem Bauernhof

Lastwagen
truck

Wald
wood

Hügel
hill

Mähdrescher
combine-harvester

Steige
stile

Schaf
sheep

Feld
field

Bauernhof
farm

Pferdestall
stable

Lamm
lamb

Scheune
barn

Pferd
horse

Tor
gate

Schweinestall
sty

Bauer
farmer

Huhn
hen

Traktor
tractor

Schwein
pig

Obstgarten
orchard

Hecke
hedge

Gans
goose

Kuh
cow

Ente
duck

Stier
bull

Ententeich
duck pond

Bach
stream

Sport und Spiel

Schaukel *swing*

Spielplatz *playground*

Rutschbahn *slide*

fallen *fall*

Klettergerüst *climbing frame*

Seile *ropes*

klettern *climb*

Wohnwagen *caravan*

Zeltplatz *campsite*

Zelt *tent*

Helm *helmet*

Knieschoner *pads*

Rollbrett *skateboard*

Fußball *football*

treten *kick*

Rampe *ramp*

Schläger *bat*

werfen *throw*

fangen *catch*

Basketball *basketball*

Picknick *picnic*

hüpfen *skip*

Rollschuhe *roller boots*

Wasserschlacht *water fight*

spritzen *splash*

Planschbecken *paddling pool*

Auf dem Jahrmarkt

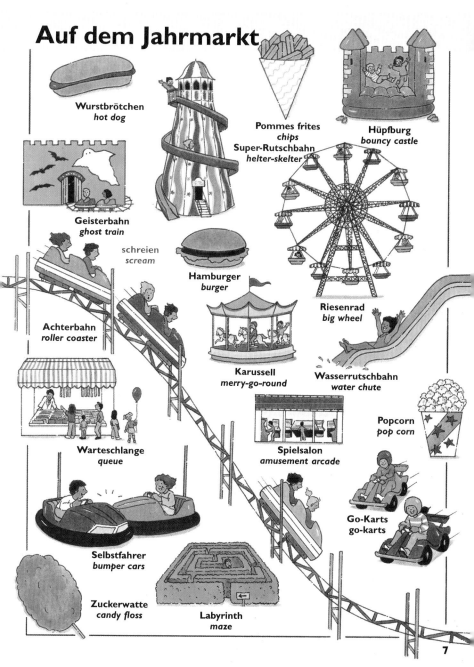

Wurstbrötchen
hot dog

Pommes frites
chips
Super-Rutschbahn
helter-skelter

Hüpfburg
bouncy castle

Geisterbahn
ghost train

schreien
scream

Hamburger
burger

Achterbahn
roller coaster

Riesenrad
big wheel

Karussell
merry-go-round

Wasserrutschbahn
water chute

Warteschlange
queue

Spielsalon
amusement arcade

Popcorn
pop corn

Selbstfahrer
bumper cars

Go-Karts
go-karts

Zuckerwatte
candy floss

Labyrinth
maze

Am Strand

Boccia spielen
bowling

Taucherbrille
goggles

Schnorchel
snorkel

Eis
ice cream

Strandmatte
beach mat

Taucheranzug
wet suit

Kiosk
kiosk

Pier
pier

Taschenkrebs
crab

Schwimmflossen
flippers

Seestern
starfish

Rettungsschwimmer
life guard

Seetang
seaweed

Wasserski
water ski

planschen
paddle

graben
dig

machen
make

Schwimmreifen
rubber ring

Schwimmflügel
arm bands

Spaten
spade

Wassergraben
moat

Eimer
bucket

Sand
sand

Kiesel
pebbles

Sandburg
sand-castle

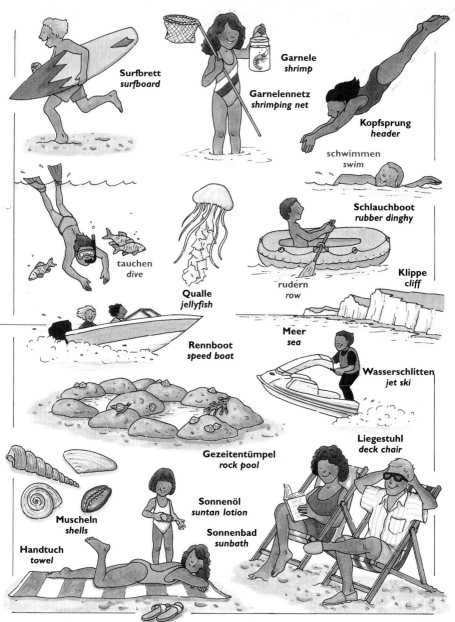

Surfbrett
surfboard

Garnele
shrimp

Garnelennetz
shrimping net

Kopfsprung
header

schwimmen
swim

tauchen
dive

Qualle
jellyfish

Schlauchboot
rubber dinghy

rudern
row

Klippe
cliff

Rennboot
speed boat

Meer
sea

Wasserschlitten
jet ski

Liegestuhl
deck chair

Gezeitentümpel
rock pool

Muscheln
shells

Handtuch
towel

Sonnenöl
suntan lotion

Sonnenbad
sunbath

9

Gebäude

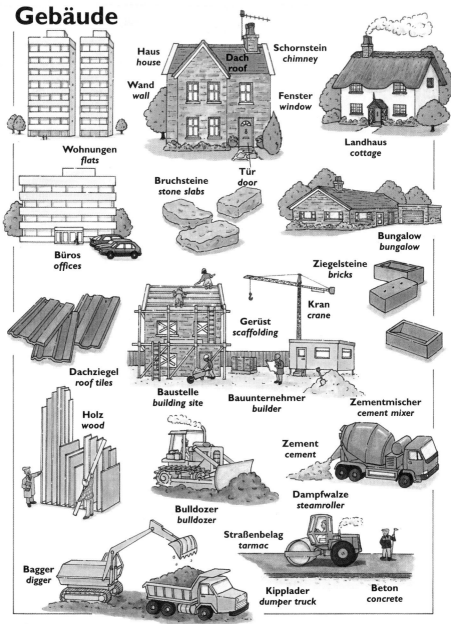

Wohnungen *flats*

Haus *house*

Wand *wall*

Dach *roof*

Schornstein *chimney*

Fenster *window*

Tür *door*

Landhaus *cottage*

Büros *offices*

Bruchsteine *stone slabs*

Bungalow *bungalow*

Dachziegel *roof tiles*

Ziegelsteine *bricks*

Kran *crane*

Gerüst *scaffolding*

Baustelle *building site*

Bauunternehmer *builder*

Zementmischer *cement mixer*

Holz *wood*

Zement *cement*

Dampfwalze *steamroller*

Bulldozer *bulldozer*

Straßenbelag *tarmac*

Bagger *digger*

Kipplader *dumper truck*

Beton *concrete*

10

Verkehr

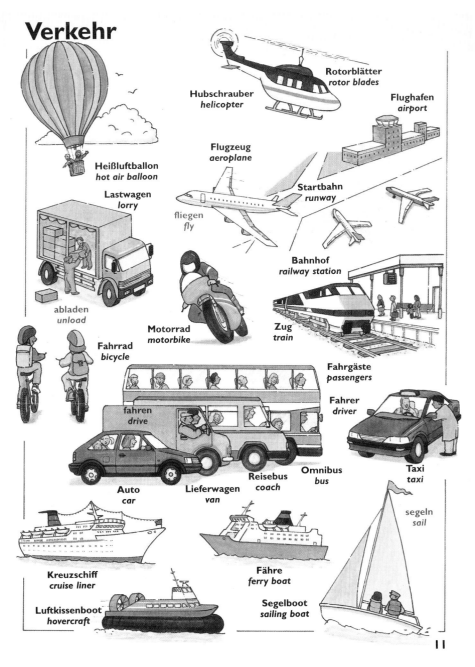

Rotorblätter
rotor blades

Hubschrauber
helicopter

Flughafen
airport

Flugzeug
aeroplane

Startbahn
runway

Heißluftballon
hot air balloon

Lastwagen
lorry

fliegen
fly

Bahnhof
railway station

abladen
unload

Motorrad
motorbike

Zug
train

Fahrrad
bicycle

Fahrgäste
passengers

fahren
drive

Fahrer
driver

Reisebus
coach

Omnibus
bus

Taxi
taxi

Auto
car

Lieferwagen
van

segeln
sail

Kreuzschiff
cruise liner

Fähre
ferry boat

Segelboot
sailing boat

Luftkissenboot
hovercraft

11

In der Stadt

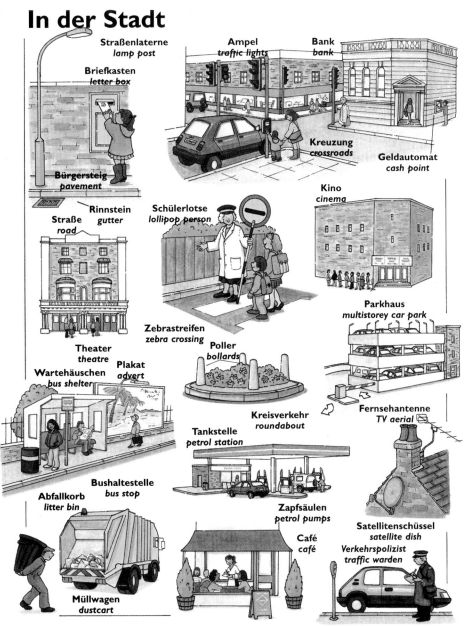

Straßenlaterne
lamp post

Ampel
traffic lights

Bank
bank

Briefkasten
letter box

Kreuzung
crossroads

Geldautomat
cash point

Bürgersteig
pavement

Rinnstein
gutter

Schülerlotse
lollipop person

Kino
cinema

Straße
road

Zebrastreifen
zebra crossing

Poller
bollards

Parkhaus
multistorey car park

Theater
theatre

Plakat
advert

Wartehäuschen
bus shelter

Kreisverkehr
roundabout

Fernsehantenne
TV aerial

Tankstelle
petrol station

Bushaltestelle
bus stop

Abfallkorb
litter bin

Zapfsäulen
petrol pumps

Café
café

Satellitenschüssel
satellite dish

Verkehrspolizist
traffic warden

Müllwagen
dustcart

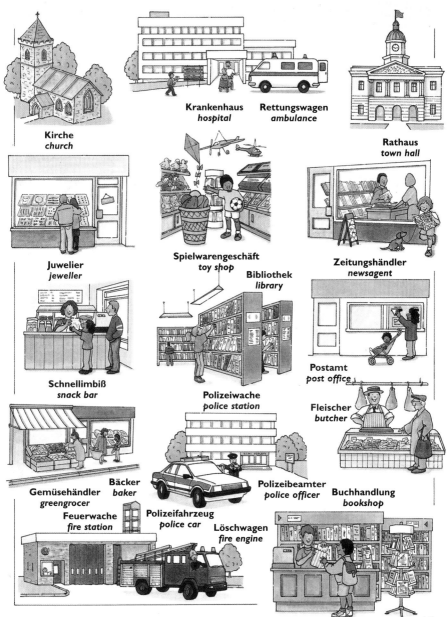

Kirche
church

Krankenhaus
hospital

Rettungswagen
ambulance

Rathaus
town hall

Juwelier
jeweller

Spielwarengeschäft
toy shop

Bibliothek
library

Zeitungshändler
newsagent

Schnellimbiß
snack bar

Polizeiwache
police station

Postamt
post office

Fleischer
butcher

Gemüsehändler
greengrocer

Bäcker
baker

Polizeibeamter
police officer

Buchhandlung
bookshop

Feuerwache
fire station

Polizeifahrzeug
police car

Löschwagen
fire engine

13

Im Supermarkt

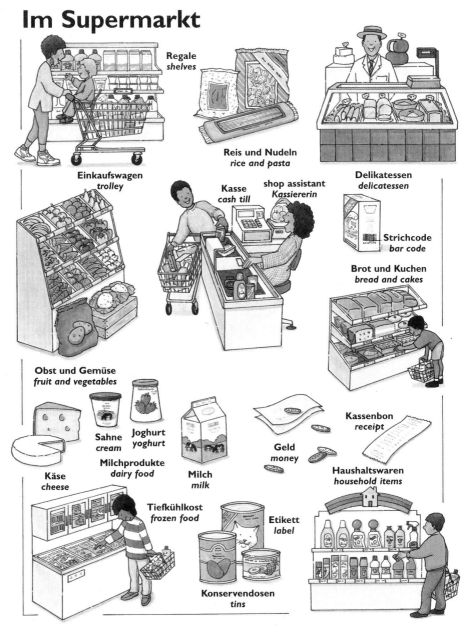

Regale
shelves

Reis und Nudeln
rice and pasta

Einkaufswagen
trolley

Delikatessen
delicatessen

Kasse
cash till

shop assistant
Kassiererin

Strichcode
bar code

Brot und Kuchen
bread and cakes

Obst und Gemüse
fruit and vegetables

Sahne
cream

Joghurt
yoghurt

Milchprodukte
dairy food

Käse
cheese

Milch
milk

Geld
money

Kassenbon
receipt

Haushaltswaren
household items

Tiefkühlkost
frozen food

Etikett
label

Konservendosen
tins

14

Kochen und Backen

Holzlöffel
wooden spoon

Mehl
flour

Torte
cake

Puderzucker
icing sugar

rühren
stir

Rührschüssel
mixing bowl

Backblech
baking tray

Rezept
recipe

Pastete
pie

abschmecken
taste

Backofen
oven

kochen
cook

Zutaten
ingredients

Eier
eggs

Pfannenwender
spatula

Plätzchen
biscuits

abwiegen
weigh

Schürze
apron

Küchenwaage
kitchen scales

Margarine
margarine

ausrollen
roll

kleinschneiden
chop

Nudelholz
rolling pin

Zucker
sugar

Ausstechform
pastry cutter

15

Zu Hause

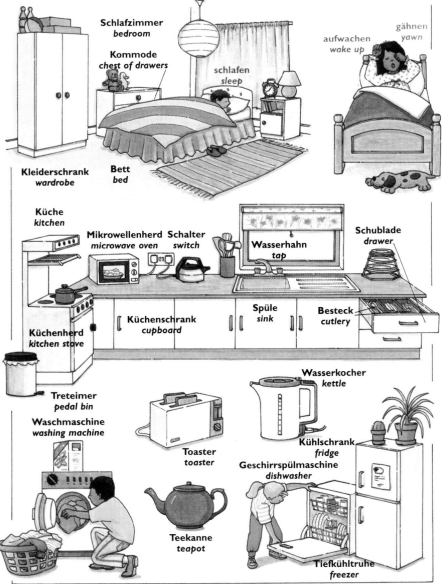

Schlafzimmer
bedroom

Kommode
chest of drawers

schlafen
sleep

gähnen
yawn

aufwachen
wake up

Kleiderschrank
wardrobe

Bett
bed

Küche
kitchen

Mikrowellenherd
microwave oven

Schalter
switch

Wasserhahn
tap

Schublade
drawer

Küchenschrank
cupboard

Spüle
sink

Besteck
cutlery

Küchenherd
kitchen stove

Treteimer
pedal bin

Wasserkocher
kettle

Waschmaschine
washing machine

Toaster
toaster

Kühlschrank
fridge

Geschirrspülmaschine
dishwasher

Teekanne
teapot

Tiefkühltruhe
freezer

16

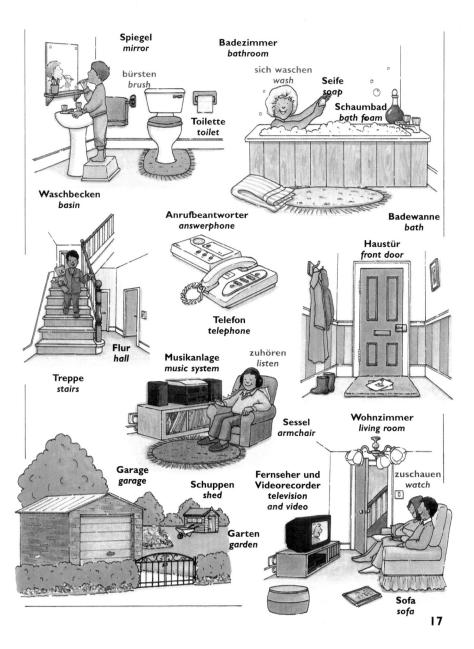

Spiegel *mirror*

Badezimmer *bathroom*

bürsten *brush*

sich waschen *wash*

Seife *soap*

Schaumbad *bath foam*

Toilette *toilet*

Waschbecken *basin*

Badewanne *bath*

Anrufbeantworter *answerphone*

Haustür *front door*

Telefon *telephone*

Flur *hall*

Musikanlage *music system*

zuhören *listen*

Treppe *stairs*

Sessel *armchair*

Wohnzimmer *living room*

Garage *garage*

Schuppen *shed*

Fernseher und Videorecorder *television and video*

zuschauen *watch*

Garten *garden*

Sofa *sofa*

Meine Familie

jung
young

jünger
younger

am jüngsten
youngest

alt
old

älter
older

am ältesten
oldest

Mama
mummy

Papa
daddy

Schwester
sister

Bruder
brother

Eltern
parents

Sohn
son

Tochter
daughter

Onkel
uncle

Tante
aunt

Neffe
nephew

Nichte
niece

Cousin
cousin

Oma
granny

Opa
grandpa

Enkel
grandchild

Zwillinge
twins

Baby
baby

Drillinge
triplets

18

Kindergeburtstag

Geschenkpapier
wrapping paper

Glückwunschkarten
greeting cards

Geschenke
presents

spielen
play

Herzlichen Glückwunsch zum Geburtstag!
Happy birthday!

Girlanden
streamers

Luftballons
balloons

blasen
blow

Kerzen
candles

glücklich
happy

Zauberkünstler
magician

Geburtstagstorte
birthday cake

Preis
prize

Disko
disco

trinken
drink

satt!
full up!

essen
eat

tanzen
dance

19

Mein Körper

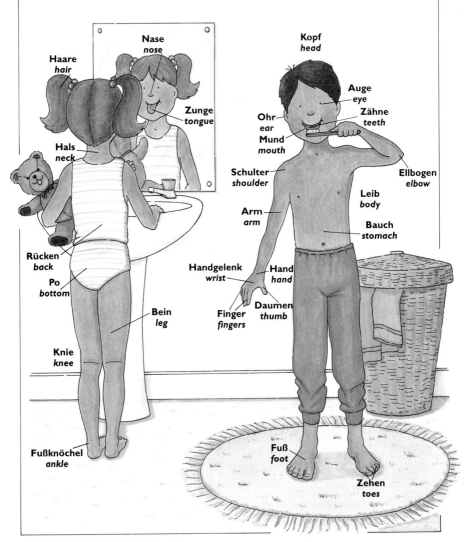

Haare
hair

Nase
nose

Zunge
tongue

Hals
neck

Rücken
back

Po
bottom

Knie
knee

Fußknöchel
ankle

Bein
leg

Kopf
head

Auge
eye

Ohr
ear

Zähne
teeth

Mund
mouth

Schulter
shoulder

Ellbogen
elbow

Leib
body

Arm
arm

Bauch
stomach

Handgelenk
wrist

Hand
hand

Finger
fingers

Daumen
thumb

Fuß
foot

Zehen
toes

Beim Arzt

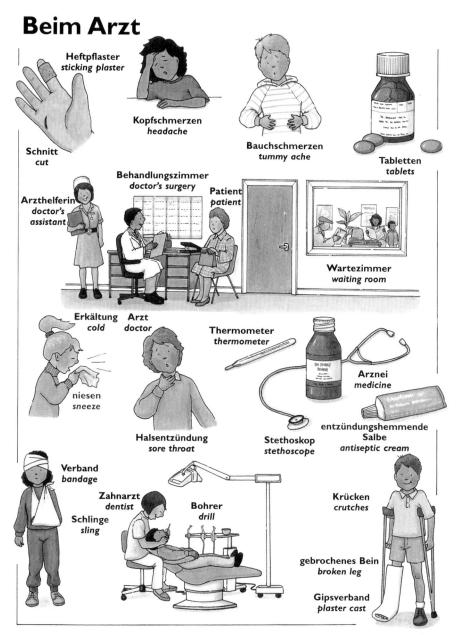

Heftpflaster
sticking plaster

Kopfschmerzen
headache

Bauchschmerzen
tummy ache

Tabletten
tablets

Schnitt
cut

Behandlungszimmer
doctor's surgery

Patient
patient

Arzthelferin
doctor's assistant

Wartezimmer
waiting room

Erkältung
cold

Arzt
doctor

Thermometer
thermometer

Arznei
medicine

niesen
sneeze

Halsentzündung
sore throat

Stethoskop
stethoscope

entzündungshemmende Salbe
antiseptic cream

Verband
bandage

Zahnarzt
dentist

Bohrer
drill

Krücken
crutches

Schlinge
sling

gebrochenes Bein
broken leg

Gipsverband
plaster cast

Kleidung

T-Shirt
T-shirt

Pullover
pullover

Jeans
jeans

Hut
hat

Baseballmütze
baseball cap

Kapuze
hood

Schal
scarf

Anorak
anorak

Hemd
shirt

Handschuh
glove

Hose
trousers

Gummistiefel
rubber boots

ausziehen
undress

Shorts
shorts

Sweatshirt
sweatshirt

Pantoffeln
slippers

Rock
skirt

Strumpfhose
tights

anziehen
dress

Unterhemd
vest

Unterhose
pants

Turnschuhe
trainers

Strümpfe
socks

Strickjacke
cardigan

Kleid
dress

22

Spielzeug

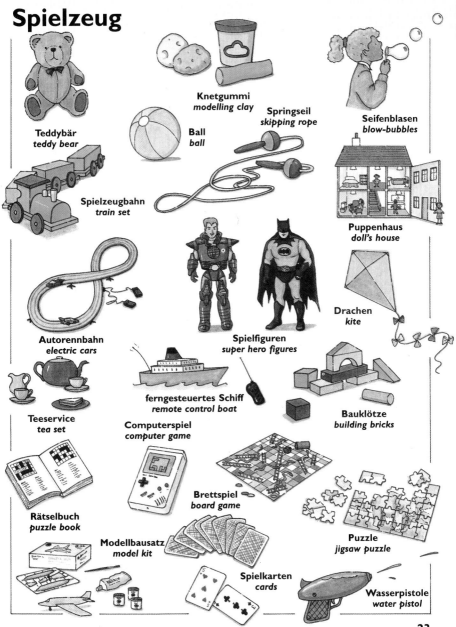

Teddybär
teddy bear

Knetgummi
modelling clay

Ball
ball

Springseil
skipping rope

Seifenblasen
blow-bubbles

Spielzeugbahn
train set

Puppenhaus
doll's house

Autorennbahn
electric cars

Spielfiguren
super hero figures

Drachen
kite

ferngesteuertes Schiff
remote control boat

Teeservice
tea set

Computerspiel
computer game

Bauklötze
building bricks

Brettspiel
board game

Rätselbuch
puzzle book

Modellbausatz
model kit

Puzzle
jigsaw puzzle

Spielkarten
cards

Wasserpistole
water pistol

In der Schule

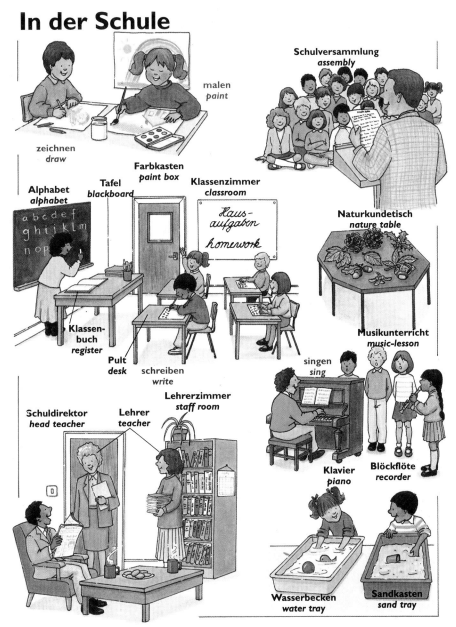

zeichnen
draw

malen
paint

Schulversammlung
assembly

Farbkasten
paint box

Alphabet
alphabet

Tafel
blackboard

Klassenzimmer
classroom

Naturkundetisch
nature table

Klassen-buch
register

Pult
desk

schreiben
write

Musikunterricht
music-lesson

singen
sing

Lehrerzimmer
staff room

Schuldirektor
head teacher

Lehrer
teacher

Klavier
piano

Blockflöte
recorder

Wasserbecken
water tray

Sandkasten
sand tray

balancieren *balance*

Buch *book*

lesen *read*

Bank *bench*

Pausenaufsicht *playground helper*

Strickleiter *rope ladder*

Schulglocke *bell*

Garderobe *cloakroom*

Kleiderhaken *peg*

Computer *computer*

Schulhof *playground*

Taschenrechner *calculator*

Filzstifte *felt tips*

Spitzer *sharpener*

Radiergummi *rubber*

Federmappe *pencil case*

Lineal *ruler*

Mathematik *mathematics*

Mittagszeit *dinner time*

25

Formen und Farben

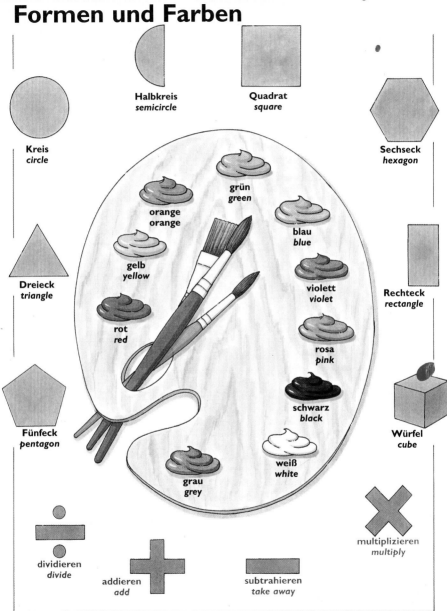

Halbkreis
semicircle

Quadrat
square

Kreis
circle

Sechseck
hexagon

Dreieck
triangle

Rechteck
rectangle

Fünfeck
pentagon

Würfel
cube

grün
green

orange
orange

blau
blue

gelb
yellow

violett
violet

rot
red

rosa
pink

schwarz
black

grau
grey

weiß
white

dividieren
divide

addieren
add

subtrahieren
take away

multiplizieren
multiply

Märchen und Sagen

Elf
elf

Fee
fairy

Hexe
witch

Hexenkessel
cauldron

Schloß
palace

Fliegenpilz
toadstool

Hexenbesen
broomstick

Pirat
pirate

Troll
troll

Höhle
cave

Schatz
treasure

Prinz
prince

Prinzessin
princess

Ritter
knight

König
king

Königin
queen

Drache
dragon

Riese
giant

Thron
throne

Ungeheuer
monster

Zauberer
wizard

27

Unsere Erde

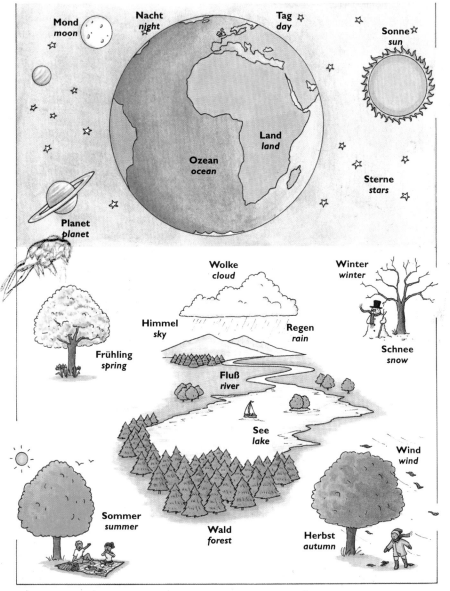

Mond
moon

Nacht
night

Tag
day

Sonne
sun

Land
land

Ozean
ocean

Sterne
stars

Planet
planet

Wolke
cloud

Winter
winter

Himmel
sky

Regen
rain

Schnee
snow

Frühling
spring

Fluß
river

See
lake

Wind
wind

Sommer
summer

Wald
forest

Herbst
autumn

Wörterverzeichnis von A-Z

A

Aal 4
eel

Abfallkorb 12
litter bin

abladen 11
unload

abschmecken 15
taste

abwiegen 15
weigh

Achterbahn 7
roller coaster

addieren 26
add

Affe 4
monkey

alt 18
old

älter 18
older

am ältesten 18
oldest

Ameise 3
ant

Ampel 12
traffic lights

Anorak 22
anorak

Anrufbeant-worter 17
answerphone

Arznei 21
medicine

Arzthelferin 21
doctor's assistant

aufwachen 16
wake up

Auge 20
eye

ausrollen 15
roll

Ausstechform 15
pastry cutter

ausziehen 22
undress

Auto 11
car

Auto fahren 11
drive

Autofahrer 11
driver

Autorenn-bahn 23
electric cars

B

Baby 18
baby

Bach 5
stream

Backblech 15
baking tray

Backofen 15
oven

Bäcker 13
baker

Badewanne 17
bath

Badezimmer 17
bathroom

Bagger 10
digger

Bahnhof 11
railway station

balancieren 25
balance

Ball 23
ball

Bank 12
bank

Bank 25
bench

Baseballmütze 22
baseball cap

Basketball 6
basketball

Bauch 20
stomach

Bauch-schmerzen 21
tummy ache

Bauer 5
farmer

Bauernhof 5
farm

Bauklötze 23
building bricks

Baustelle 10
building site

Bauunter-nehmer 10
builder

Bein 20
leg

Besteck 16
cutlery

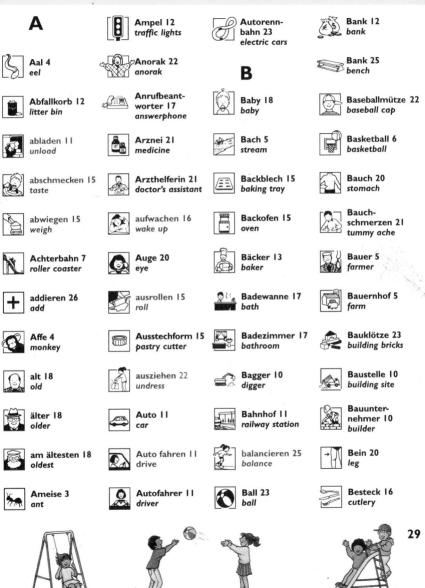

29

Beton 10 concrete	**Bruder 18** brother	**Computerspiel 23** computer game
Bett 16 bed	**Buch 25** book	**Cousin 18** cousin
Bibliothek 13 library	**Buchhandlung 13** bookshop	
Bienenstock 3 beehive	**Bulldozer 10** bulldozer	
blasen 19 blow	**Bungalow 10** bungalow	
Blattlaus 3 woodlouse	**Bürgersteig 12** pavement	
blau 26 blue	**Büro 10** office	
Blockflöte 24 recorder	bürsten 17 brush	
Boccia spielen 8 bowling	**Bus 11** bus	
Brettspiel 23 board game	**Bushaltestelle 12** bus stop	
Briefkasten 12 letter box		
Brot 14 bread		
Bruchsteine 10 stone slabs		

C

	Café 12 café	
	Computer 25 computer	

D

Dach 10 roof

Dachziegel 10 roof tiles

Dampfwalze 10 steamroller

Daumen 20 thumb

Delikatessen 14 delicatessen

Drachen 23 kite

Dreieck 26 triangle

Drillinge 18 triplets

E

Eier 15 eggs

Eimer 8 bucket	
Eis 8 ice cream	
Eisbär 4 polar bear	
Elefant 4 elephant	
Elf 27 elf	
Ellbogen 20 elbow	
Eltern 18 parents	
Enkel 18 grandchild	
Ente 5 duck	
Ententeich 5 duck pond	
entzündungshemmende Salbe 21 antiseptic cream	
Erde 3 earth	

Erkältung 21
cold

 Fenster 10
window

 fliegen 11
fly

 Fußknöchel 20
ankle

 essen 19
eat

 ferngesteuertes Schiff 23
remote control boat

 Fliegenpilz 27
toadstool

G

 Etikett 14
label

 Fernsehantenne 12
TV aerial

 Flügel 3
wings

 gähnen 16
yawn

F

 Fernseher 17
television

 **Flughafen 11**
airport

 Gans 5
goose

 **Fähre 11**
ferry boat

 Feuerwache 13
fire station

 **Flugzeug 11**
aeroplane

 Garage 17
garage

 **Fahrgäste 11**
passengers

 Feuerwehrwagen 13
fire engine

 Flur 17
hall

 Garderobe 25
cloakroom

 **fahren 11**
drive

 Filzstifte 25
felt tips

 Fluß 28
river

 Garnele 9
shrimp

 fallen 6
fall

 Finger 20
fingers

 Flußpferd 4
hippopotamus

 Garnelennetz 9
shrimping net

 fangen 6
catch

 Fisch 2
fish

 Frosch 3
frog

 Garten 17
garden

 Farbkasten 24
paint box

 Fischernetz 3
fishing net

 Frühling 28
spring

 gebrochenes Bein 21
broken leg

 Federmappe 25
pencil case

 Fischfutter 2
fish food

 Fünfeck 26
pentagon

 Geburtstagstorte 19
birthday cake

 Fee 27
fairy

 Fleischer 13
butcher

 Fuß 20
foot

 gehen 2
walk

 Feld 5
field

 Fliege 3
fly

 Fußball 6
football

 Geisterbahn 7
ghost train

gelb 26 *yellow*	**glücklich** 19 *happy*	**Hals** 20 *neck*	**Hecke** 5 *hedge*
Geldautomat 12 *cash point*	**Glückwunsch-karten** 19 *greeting cards*	**Halsentzün-dung** 21 *sore throat*	**Heftpflaster** 21 *sticking plaster*
Gemüse 14 *vegetables*	**Go-Karts** 7 *go-karts*	**halten** 2 *hold*	**Heißluftballon** 11 *hot air balloon*
Gemüse-händler 13 *greengrocer*	**Goldfischglas** 2 *fish bowl*	**Hamburger** 7 *burger*	**Helm** 6 *helmet*
Gepard *cheetah* 4	**Gorilla** 4 *gorilla*	**Hamster** 2 *hamster*	**Hemd** 22 *shirt*
Gerüst 10 *scaffolding*	**graben** 8 *dig*	**Hand** 20 *hand*	**Herzlichen Glück-wunsch zum Geburtstag!** 19 *Happy birthday!*
Geschenke 19 *presents*	**grau** 26 *grey*	**Handgelenk** 20 *wrist*	**Hexe** 27 *witch*
Geschirr-schrank 16 *cupboard*	**grün** 26 *green*	**Handschuh** 22 *glove*	**Hexenbesen** 27 *broomstick*
Gezeitentümpel 9 *rock pool*	**Gummistiefel** 22 *rubber boots*	**Handtuch** 9 *towel*	**Hexenkessel** 27 *cauldron*
Gipsverband 21 *plaster cast*	**H**	**Haus** 10 *house*	**Himmel** 28 *sky*
Giraffe 4 *giraffe*	**Haare** 20 *hair*	**Hausaufgaben** 24 *homework*	**Höhle** 27 *cave*
Girlanden 19 *streamers*	**Hai** 4 *shark*	**Haushalts-waren** 14 *household items*	**Holz** 10 *wood*
Glocke 25 *bell*	**Halbkreis** 26 *semicircle*	**Haustür** 17 *front door*	**Holzlöffel** 15 *wooden spoon*

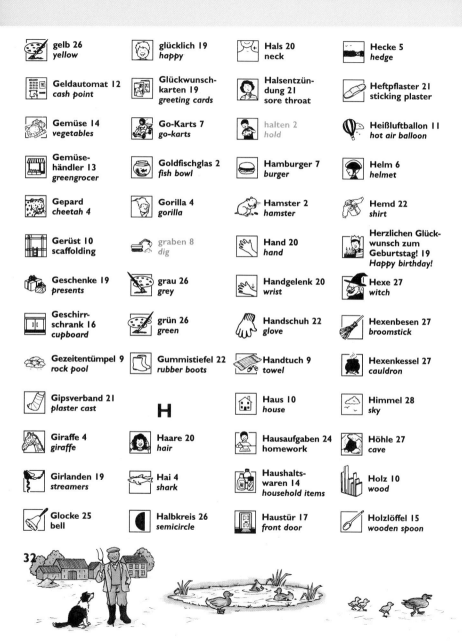

Hose 22
trousers

 Hubschrauber 11
helicopter

 Hügel 5
hill

 Huhn 5
hen

 Hundehütte 2
kennel

 Hüpfburg 7
bouncy castle

 hüpfen 6
skip

 Hut 22
hat

J

 Jeans 22
jeans

 Joghurt 14
yoghurt

 jung 18
young

 jünger 18
younger

am jüngsten 18
youngest

Juwelier 13
jeweller

K

Käfer 3
beetle

Känguruh 4
kangaroo

Kaninchen 2
rabbit

Karussell 7
merry-go-round

Käse 14
cheese

Kasse 14
cash till

Kassenbon 14
receipt

Kassiererin 14
shop assistant

Kätzchen 2
kitten

Katze 2
cat

Kerzen 19
candles

Kiesel 8
pebbles

Kino 12
cinema

Kiosk 8
kiosk

Kipplader 10
dumper truck

Kirche 13
church

**Klassen-
zimmer 24**
classroom

Klavier 24
piano

Kleiderhaken 25
peg

Kleiderschrank 16
wardrobe

kleinschneiden 15
chop

Klettergerüst 6
climbing frame

klettern 6
climb

Klippe 9
cliff

Knetgummi 23
modelling clay

 Knieschoner 6
pads

Knochen 2
bone

 kochen 15
cook

Kommode 16
chest of drawers

König 27
king

Königin 27
queen

**Konserven-
dosen 14**
tins

 Kopf 20
head

**Kopfschmer-
zen 20**
headache

 Kopfsprung 9
header

Korb 2
basket

33

Krake 4 *octopus*		**Küchenherd** 16 *kitchen stove*		**Leib** 20 *body*		**Mama** 18 *mummy*

Krake 4
octopus

Kran 10
crane

Krankenhaus 13
hospital

kratzen 4
scratch

Kreis 26
circle

Kreisverkehr 12
roundabout

Kreuzschiff 11
cruise liner

Kreuzung 12
crossroads

kriechen 3
crawl

Krokodil 4
crocodile

Krücken 21
crutches

Kuchen 14
cake

Küche 16
kitchen

Küchenherd 16
kitchen stove

Küchenschrank 16
cupboard

Küchenwaage 15
kitchen scales

Kuh 5
cow

Kühlschrank 16
fridge

L

Labyrinth 7
maze

Lamm 5
lamb

Land 28
land

Landhaus 10
cottage

Lastwagen 5, 11
lorry oder truck

Lehrer 24
teacher

Lehrerzimmer 24
staff room

Leib 20
body

lesen 25
read

Lieferwagen 11
van

Liegestuhl 9
deck chair

Lineal 25
ruler

Löwe 4
lion

Luftballons 19
balloons

Luftkissenboot 11
hovercraft

Lupe 3
magnifying glass

M

machen 8
make

Mähdrescher 5
combine-harvester

malen 24
paint

Mama 18
mummy

Marienkäfer 3
ladybird

Margarine 15
margarine

Mathematik 25
mathematics

Maus 2
mouse

Meer 9
sea

Meerschweinchen 2
guinea pig

Mehl 15
flour

Mikrowellenherd 16
microwave oven

Milch 14
milk

Milchprodukte 14
dairy food

Modellbausatz 23
model kit

Mond 28
moon

34

Motorrad 11
motorbike

Motte 3
moth

Müllwagen 12
dustcart

multiplizieren 26
multiply

Mund 20
mouth

Muscheln 9
shells

Musikanlage 17
music system

**Musikunter-
richt** 24
music-lesson

N

Nacht 28
night

Nase 20
nose

Nashorn 4
rhinoceros

**Naturkunde-
tisch** 24
nature table

Neffe 18
nephew

Nest 3
nest

Nichte 18
niece

niesen 21
sneeze

Nudelholz 15
rolling pin

Nudeln 14
pasta

O

Obst 14
fruit

Obstgarten 5
orchard

Ohr 20
ear

Oma 18
granny

Omnibus 11
bus

Onkel 18
uncle

Opa 18
grandpa

Orange 26
orange

Ozean 28
ocean

P

Pantoffeln 22
slippers

Papa 18
daddy

Parkhaus 12
*multistorey car
park*

Pastete 15
pie

Patient 21
patient

Pausenaufsicht 25
playground helper

**Pfannen-
wender** 15
spatula

Pferd 5
horse

Pferdestall 5
stable

Picknick 6
picnic

Pier 8
pier

Pinguin 4
penguin

Pirat 27
pirate

Plakat 12
advert

Planet 28
planet

Planschbecken 6
paddling pool

planschen 8
paddle

Plätzchen 15
biscuits

Po 20
bottom

Polizeibeamter 13
police officer

Polizeifahrzeug 13
police car

Poller 12
bollards

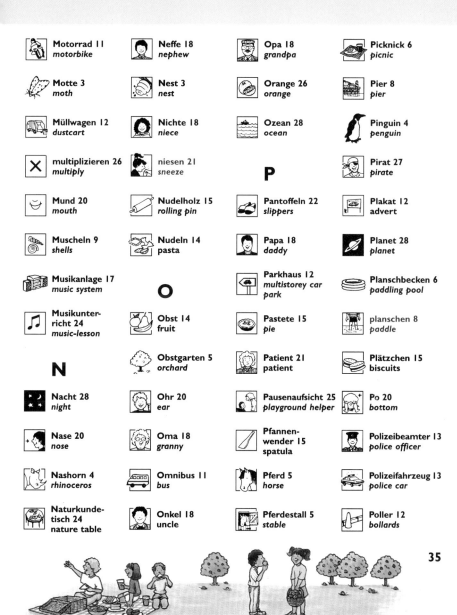

Pommes frites 7
chips

Popcorn 7
pop corn

Postamt 13
post office

Preis 19
prize

Prinz 27
prince

Prinzessin 27
princess

Puderzucker 15
icing sugar

Pullover 22
pullover

Pult 24
desk

Puzzle 23
jigsaw puzzle

Q

Quadrat 26
square

R

Radiergummi 25
rubber

Rathaus 13
town hall

Rätselbuch 23
puzzle book

rauher Hals 21
sore throat

Raupe 3
caterpillar

Rechteck 26
rectangle

Regale 14
shelves

Regen 28
rain

Reis 14
rice

Reisebus 11
coach

Rennboot 9
speed boat

rennen 4
run

Rennmaus 2
gerbil

**Rettungs-
schwimmer 8**
life guard

Rettungswagen 13
ambulance

Rezept 15
recipe

Riese 27
giant

Riesenrad 7
big wheel

Rinnstein 12
gutter

Ritter 27
knight

Robbe 4
seal

Rock 22
skirt

Rollbrett 6
skateboard

Rollschuhe 6
roller boots

rosa 26
pink

rot 26
red

Rotorblätter 11
rotor blades

Rücken 20
back

rudern 9
row

rühren 15
stir

Rührschüssel 15
mixing bowl

Rutschbahn 6
slide

S

Sägespäne 2
sawdust

Sahne 14
cream

Sand 8
sand

Sandburg 8
sand-castle

Sandkasten 24
sand tray

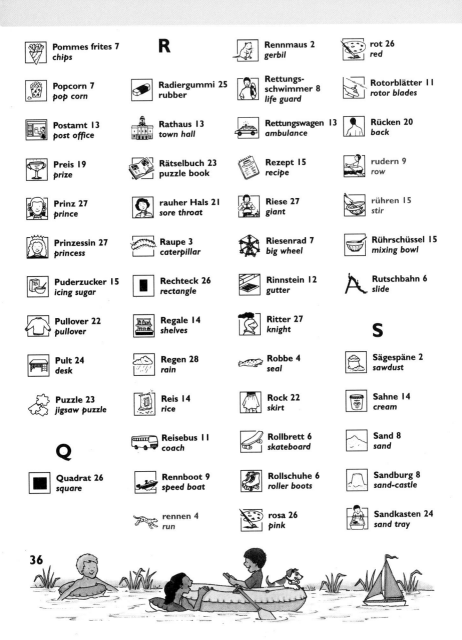

Satellitenschüssel 12
satellite dish

satt 19
full up

Schaf 5
sheep

Schal 22
scarf

Schalter 16
switch

Schatz 27
treasure

Schaukel 6
swing

Schaumbad 17
bath foam

Schildkröte 4
turtle

schlafen 16
sleep

Schlafzimmer 16
bedroom

Schläger 6
bat

Schlange 4
snake

Schlauchboot 9
rubber dinghy

Schlinge 21
sling

Schloß 27
palace

Schmetterling 3
butterfly

Schnee 28
snow

Schnellimbiß 13
snack bar

Schnitt 21
cut

Schnorchel 8
snorkel

Schornstein 10
chimney

schreiben 24
write

schreien 7
scream

Schuhe 22
shoes

Schuldirektor 24
head teacher

Schülerlotse 12
lollipop person

Schüssel/Napf 2
bowl

Schulhof 25
playground

Schulter 20
shoulder

Schulversammlung 24
assembly

Schuppen 17
shed

Schürze 15
apron

Schwarm 3
swarm

schwarz 26
black

Schwein 5
pig

Schweinestall 5
sty

Schwester 18
sister

schwimmen 9
swim

Schwimmflossen 8
flippers

Schwimmflügel 8
arm bands

Schwimmreifen 8
rubber ring

Sechseck 26
hexagon

See 28
lake

Seestern 8
starfish

Seetang 8
seaweed

Segelboot 11
sailing boat

segeln 11
sail

Seife 17
soap

Seile 6
ropes

Sessel 17
armchair

Shorts 22
shorts

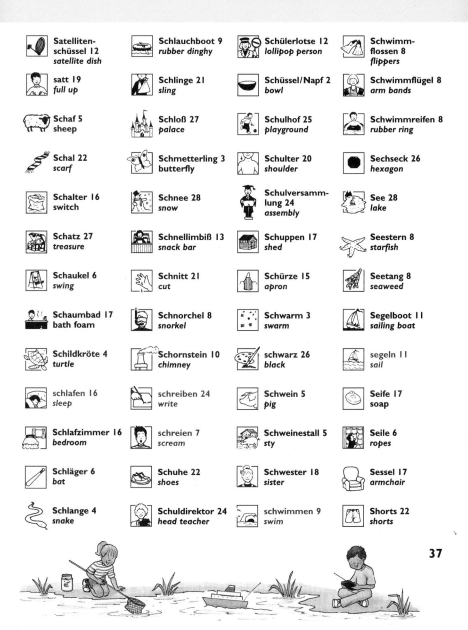

sich waschen 17 / wash	Spielfiguren 23 / super hero figures	Stethoskop 21 / stethoscope	Surfbrett 9 / surfboard
singen 24 / sing	Spielkarten 23 / cards	Stier 5 / bull	Super-Rutsch-bahn 7 / helter-skelter
Sitzstange 2 / perch	Spielsalon 7 / amusement arcade	Strandmatte 8 / beach mat	Sweatshirt 22 / sweatshirt
Sofa 17 / sofa	Spielwaren-geschäft 13 / toy shop	Straße 12 / road	**T**
Sohn 18 / son	Spinne 3 / spider	Straßenbelag 10 / tarmac	Tabletten 21 / tablets
Sommer 28 / summer	Spinnennetz 3 / web	Straßenlaterne 12 / lamp post	Tafel 24 / blackboard
Sonne 28 / sun	Spitzer 25 / sharpener	streicheln 2 / stroke	Tag 28 / day
Sonnenbad 9 / sunbath	Springseil 23 / skipping rope	Strichcode 14 / bar code	Tankstelle 12 / petrol station
Sonnenöl 9 / suntan lotion	Spüle 16 / sink	Strickleiter 25 / rope ladder	Tante 18 / aunt
Spaten 8 / spade	Stall 2 / hutch	Stroh 2 / straw	tanzen 19 / dance
Spiegel 17 / mirror	Startbahn 11 / runway	Strümpfe 22 / socks	Taschenkrebs 8 / crab
spielen 19 / play	Steige 5 / stile	Strumpfhose 22 / tights	tauchen 9 / dive
Spielplatz 6 / playground	Sterne 28 / stars	subtrahieren 26 / take away	Taucheranzug 8 / wet suit

Taucherbrille 8 *goggles*	**Tisch 24** *table*	**Turnschuhe 22** *trainers*	**W**
Taxi 11 *taxi*	**Toaster 16** *toaster*	**U**	**Wald 28** *forest oder wood*
Teddybär 23 *teddy bear*	**Tochter 18** *daughter*	**Ungeheuer 27** *monster*	**Wand, Mauer 10** *wall*
Teekanne 16 *teapot*	**Toilette 17** *toilet*	**Unterhemd 22** *vest*	**Warteschlange 7** *queue*
Teeservice 23 *tea set*	**Tor 5** *gate*	**Unterhose 22** *pants*	**Wartezimmer 21** *waiting room*
Teich 3 *pond*	**Torte 15** *cake*	**V**	**Waschbecken 17** *basin*
Telefon 17 *telephone*	**Traktor 5** *tractor*	**Verband 21** *bandage*	**Waschmaschine 16** *washing machine*
Theater 12 *theatre*	**Treppe 17** *stairs*	**Verkäuferin 14** *shop assistant*	**Wasserflasche 2** *water bottle*
Thermometer 21 *thermometer*	**Treteimer 16** *pedal bin*	**Verkehrspolizist 12** *traffic warden*	**Wasserhahn 16** *tab*
Thron 27 *throne*	treten 6 *kick*	**Videorecorder 17** *video*	**Wassergraben 8** *moat*
Tiefkühltruhe 16 *freezer*	**Troll 27** *troll*	**violett 26** *violet*	**Wasserkocher 16** *kettle*
Tiefkühlkost 14 *frozen food*	**T-Shirt 22** *t-shirt*	**Vogelfutter 2** *birdseed*	**Wasserpistole 23** *water pistol*
Tiger 4 *tiger*	**Tümpel 4** *pool*		**Wasserrutschbahn 7** *water chute*

39

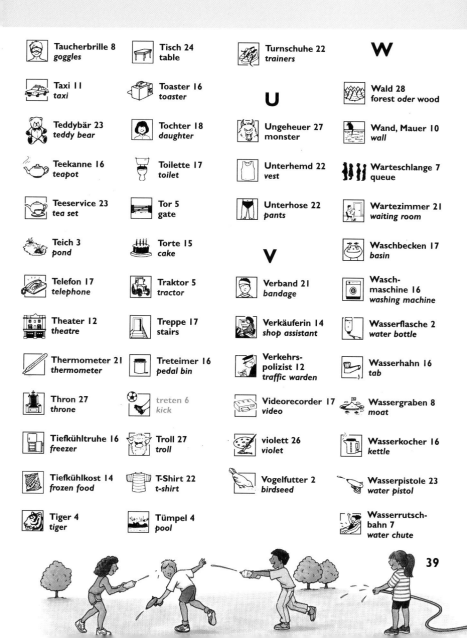

Wasserschlacht 6
water fight

Wohnungen 10
flats

Zauberkünstler 19
magician

Ziegelsteine 10
bricks

Wasserschlitten 9
jet ski

Wohnwagen 6
caravan

Zauberer 27
wizard

Zucker 15
sugar

Wasserski 8
water ski

Wohnzimmer 17
living room

Zebra 4
zebra

Zuckerwatte 7
candy floss

weiß 26
white

Wolke 28
cloud

Zebrastreifen 12
zebra crossing

Zug 11
train

Wellensittich 2
budgerigar

Würfel 26
cube

Zehen 20
toes

zuhören 17
listen

Welpe 2
puppy

Wurm 3
worm

**Zeitungs-
händler 13**
newsagent

Zunge 20
tongue

werfen 6
throw

Wurstbrötchen 7
hot dog

Zelt 6
tent

zuschauen 17
watch

Wespe 3
wasp

Zahnarzt 21
dentist

Zeltplatz 6
campsite

Zutaten 15
ingredients

Wind 28
wind

Zähne 20
teeth

Zement 10
cement

Zwillinge 18
twins

Winter 28
winter

Zapfsäulen 12
petrol pumps

**Zement-
mischer 10**
cement mixer

Die englische Originalausgabe erschien
unter dem Titel *First Dictionary*
bei Colour Library Books Ltd, England
© Zigzag Publishing Ltd
All rights reserved

Genehmigte Sonderausgabe
für den Buch + Zeit Verlag
Alle Rechte vorbehalten
ISBN 3-8166-0261-4

40